深化文明交流互鉴
共建亚洲命运共同体

——在亚洲文明对话大会开幕式上的主旨演讲

（2019年5月15日）

习　近　平

人民出版社

深化文明交流互鉴 共建亚洲命运共同体

——在亚洲文明对话大会开幕式上的主旨演讲

（2019 年 5 月 15 日）

习　近　平

尊敬的各位国家元首、政府首脑、国际组织负责人，
尊敬的各位嘉宾，
女士们，先生们，朋友们：

在这个草木生长的美好季节，来自亚洲 47 个国家和五大洲的各方嘉宾，为深化文明交流互鉴共聚一堂，共襄盛举。首先，我谨代表中国政府和中国人民，并以我个人的名义，对亚洲文明对话大会的召开，表示诚挚的祝贺！对各位嘉宾的到来，表示热烈的欢迎！

当前,世界多极化、经济全球化、文化多样化、社会信息化深入发展,人类社会充满希望。同时,国际形势的不稳定性不确定性更加突出,人类面临的全球性挑战更加严峻,需要世界各国齐心协力、共同应对。

应对共同挑战、迈向美好未来,既需要经济科技力量,也需要文化文明力量。亚洲文明对话大会,为促进亚洲及世界各国文明开展平等对话、交流互鉴、相互启迪提供了一个新的平台。

女士们、先生们、朋友们!

亚洲是人类最早的定居地之一,也是人类文明的重要发祥地。亚洲地大物博、山河秀美,在世界三分之一的陆地上居住着全球三分之二的人口,47 个国家、1000 多个民族星罗棋布。从公元前数千年起,生活在底格里斯河—幼发拉底河、印度河—恒河、黄河—长江等流域的人们,开始耕耘灌溉、铸器造皿、建设家园。一代又一代亚洲先民历经岁月洗礼,把生产生活实践镌刻成悠久历史、积淀成深厚文明。广袤富饶的平原,碧波荡漾的水乡,辽阔壮美的草原,浩瀚无垠的沙漠,奔腾不息的江海,巍峨挺拔的山脉，承载和滋润了多彩的亚洲文明。

在数千年发展历程中，亚洲人民创造了辉煌的文明成果。《诗经》、《论语》、《塔木德》、《一千零一夜》、《梨俱吠陀》、《源氏物语》等名篇经典，楔形文字、地图、玻璃、阿拉伯数字、造纸术、印刷术等发明创造，长城、麦加大清真寺、泰姬陵、吴哥窟等恢宏建筑……都是人类文明的宝贵财富。各种文明在这片土地上交相辉映，谱写了亚洲文明发展史诗。

亚洲先人们早就开始了文明交流互鉴。丝绸之路、茶叶之路、香料之路等古老商路，助推丝绸、茶叶、陶瓷、香料、绘画雕塑等风靡亚洲各国，记录着亚洲先人们交往交流、互通有无的文明对话。现在，"一带一路"、"两廊一圈"、"欧亚经济联盟"等拓展了文明交流互鉴的途径，各国在科技、教育、文化、卫生、民间交往等领域的合作蓬勃开展，亚洲文明也在自身内部及同世界文明的交流互鉴中发展壮大。

璀璨的亚洲文明，为世界文明发展史书写了浓墨重彩的篇章，人类文明因亚洲而更加绚烂多姿。从宗教到哲学、从道德到法律、从文学到绘画、从戏剧到音乐、从城市到乡村，亚洲形成了覆盖广泛的世俗礼仪、写下了传承千年的不朽巨著、留下了精湛深邃的艺术瑰宝、形成了种类多样的制度成果，为世界提供了丰富的文明选择。

回顾历史、展望世界，我们应该增强文明自信，在先辈们铸就的光辉成就的基础上，坚持同世界其他文明交流互鉴，努力续写亚洲文明新辉煌。

女士们、先生们、朋友们！

亚洲各国山水相连、人文相亲，有着相似的历史境遇、相同的梦想追求。面向未来，我们应该把握大势、顺应潮流，努力把亚洲人民对美好生活的向往变成现实。

——亚洲人民期待一个和平安宁的亚洲。维护和平是每个国家都应该肩负起来的责任。没有和平，冲突不断甚至战火纷飞，经济增长、民生改善、社会稳定、人民往来等都会沦为空谈。亚洲各国人民希望远离恐惧，实现安居乐业、普遍安全，希望各国互尊互信、和睦相处，广泛开展跨国界、跨时空、跨文明的交往活动，共同维护比金子还珍贵的和平时光。

——亚洲人民期待一个共同繁荣的亚洲。经济发展是文明存续的有力支撑，繁荣富强是国家进步的重要基石。亚洲一些民众特别是妇女儿童正忍受着贫困、饥饿、疾病的折磨，这样的局面必须改变。亚洲各国人民希望远离贫困、富足安康，希望各国合力推进开放、包容、普惠、平衡、共赢的经济全球化，共同消除一些国家民众依然面临的贫穷落后，共同为孩子们创造衣食无忧的生活，让幸福和欢乐走进每一个家庭。

——亚洲人民期待一个开放融通的亚洲。亚洲近几十年快速发展，一条十分重要的经验就是敞开大门，主动融入世界经济发展潮流。如果各国重新回到一个个自我封闭的孤岛，人类文明就将因老死不相往来而丧失生机活力。亚洲各国人民希望远离封闭、融会通达，希望各国秉持开放精神，推进政策沟通、设施联通、贸易畅通、资金融通、民心相通，共同构建亚洲命运共同体、人类命运共同体。

女士们、先生们、朋友们！

文明因多样而交流，因交流而互鉴，因互鉴而发展。我们要加强世界上不同国家、不同民族、不同文化的交流互鉴，夯实共建亚洲命运共同体、人类命运共同体的人文基础。为此，我愿提出 4 点主张。

第一,坚持相互尊重、平等相待。每一种文明都扎根于自己的生存土壤,凝聚着一个国家、一个民族的非凡智慧和精神追求,都有自己存在的价值。人类只有肤色语言之别,文明只有姹紫嫣红之别,但绝无高低优劣之分。认为自己的人种和文明高人一等,执意改造甚至取代其他文明,在认识上是愚蠢的,在做法上是灾难性的!如果人类文明变得只有一个色调、一个模式了,那这个世界就太单调了,也太无趣了!我们应该秉持平等和尊重,摒弃傲慢和偏见,加深对自身文明和其他文明差异性的认知,推动不同文明交流对话、和谐共生。

我访问过世界上许多地方,最吸引我的就是韵味不同的文明,如中亚的古城撒马尔罕、埃及的卢克索神庙、新加坡的圣淘沙、泰国的曼谷玉佛寺、希腊的雅典卫城等。中国愿同各国开展亚洲文化遗产保护行动,为更好传承文明提供必要支撑。

第二,坚持美人之美、美美与共。每一种文明都是美的结晶,都彰显着创造之美。一切美好的事物都是相通的。人们对美好事物的向往,是任何力量都无法阻挡的!各种文明本没有冲突,只是要有欣赏所有文明之美的眼睛。我们既要让本国文明充满勃勃生机，又要为他国文明发展创造条件，让世界文明百花园群芳竞艳。

文明之美集中体现在哲学、社会科学等经典著作和文学、音乐、影视剧等文艺作品之中。现在，大量外国优秀文化产品进入中国，许多中国优秀文化产品走向世界。中国愿同有关国家一道，实施亚洲经典著作互译计划和亚洲影视交流合作计划，帮助人们加深对彼此文化的理解和欣赏，为展示和传播文明之美打造交流互鉴平台。

第三，坚持开放包容、互学互鉴。一切生命有机体都需要新陈代谢，否则生命就会停止。文明也是一样，如果长期自我封闭，必将走向衰落。交流互鉴是文明发展的本质要求。只有同其他文明交流互鉴、取长补短，才能保持旺盛生命活力。文明交流互鉴应该是对等的、平等的，应该是多元的、多向的，而不应该是强制的、强迫的，不应该是单一的、单向的。我们应该以海纳百川的宽广胸怀打破文化交往的壁垒，以兼收并蓄的态度汲取其他文明的养分，促进亚洲文明在交流互鉴中共同前进。

人是文明交流互鉴最好的载体。深化人文交流互鉴是消除隔阂和误解、促进民心相知相通的重要途径。这些年来，中国同各国一道，在教育、文化、体育、卫生等领域搭建了众多合作平台，开辟了广泛合作渠道。中国愿同各国加强青少年、民间团体、地方、媒体等各界交流，打造智库交流合作网络，创新合作模式，推动各种形式的合作走深走实，为推动文明交流互鉴创造条件。

第四，坚持与时俱进、创新发展。文明永续发展，既需要薪火相传、代代守护，更需要顺时应势、推陈出新。世界文明历史揭示了一个规律：任何一种文明都要与时偕行，不断吸纳时代精华。我们应该用创新增添文明发展动力、激活文明进步的源头活水，不断创造出跨越时空、富有永恒魅力的文明成果。

激发人们创新创造活力，最直接的方法莫过于走入不同文明，发现别人的优长，启发自己的思维。2018 年，中国国内居民出境超过 1.6 亿人次，入境游客超过 1.4 亿人次，这是促进中外文明交流互鉴的重要力量。中国愿同各国实施亚洲旅游促进计划，为促进亚洲经济发展、增进亚洲人民友谊贡献更大力量。

女士们、先生们、朋友们！

中华文明是亚洲文明的重要组成部分。自古以来，中华文明在继承创新中不断发展，在应时处变中不断升华，积淀着中华民族最深沉的精神追求，是中华民族生生不息、发展壮大的丰厚滋养。中国的造纸术、火药、印刷术、指南针、天文历法、哲学思想、民本理念等在世界上影响深远，有力推动了人类文明发展进程。

中华文明是在同其他文明不断交流互鉴中形成的开放体系。从历史上的佛教东传、“伊儒会通”，到近代以来的“西学东渐”、新文化运动、马克思主义和社会主义思想传入中国，再到改革开放以来全方位对外开放，中华文明始终在兼收并蓄中历久弥新。亲仁善邻、协和万邦是中华文明一贯的处世之道，惠民利民、安民富民是中华文明鲜明的价值导向，革故鼎新、与时俱进是中华文明永恒的精神气质，道法自然、天人合一是中华文明内在的生存理念。

今日之中国，不仅是中国之中国，而且是亚洲之中国、世界之中国。未来之中国，必将以更加开放的姿态拥抱世界、以更有活力的文明成就贡献世界。

女士们、先生们、朋友们！

这次亚洲文明对话大会议题广泛、内容丰富，希望大家集思广益、畅所欲言，提出真知灼见，共同创造亚洲文明和世界文明的美好未来！

最后，预祝亚洲文明对话大会圆满成功！

谢谢大家。

图书在版编目(CIP)数据

深化文明交流互鉴　共建亚洲命运共同体：在亚洲文明对话大会开幕式上的主旨演讲/习近平 著.—北京：人民出版社，2019.5
ISBN 978-7-01-020855-8

Ⅰ.①深…　Ⅱ.①习…　Ⅲ.①习近平-讲话-学习参考资料②文化交流-亚洲③亚洲经济-区域经济一体化　Ⅳ.①D2-0 ②G130.5 ③F13

中国版本图书馆 CIP 数据核字(2019)第 090423 号

(RMC-ZJDXI-076-20190515)

深化文明交流互鉴　共建亚洲命运共同体

SHENHUA WENMING JIAOLIU HUJIAN GONGJIAN YAZHOU MINGYUN GONGTONGTI

——在亚洲文明对话大会开幕式上的主旨演讲

(2019 年 5 月 15 日)

习　近　平

人民出版社 出版发行
(100706　北京市东城区隆福寺街 99 号)

北京新华印刷有限公司印刷　新华书店经销

2019 年 5 月第 1 版　2019 年 5 月北京第 1 次印刷
开本：880 毫米×1230 毫米 1/32　印张：0.5
字数：7 千字

ISBN 978-7-01-020855-8　定价：2.00 元

邮购地址 100706　北京市东城区隆福寺街 99 号
人民东方图书销售中心　电话 (010)65250042　65289539